Queridos amigos roedores,
bienvenidos al mundo de

# Geronimo Stilton

El Eco del Roedor
Redacción

**GERONIMO STILTON**
RATÓN INTELECTUAL,
DIRECTOR DE *EL ECO DEL ROEDOR*

**TEA STILTON**
AVENTURERA Y DECIDIDA,
ENVIADA ESPECIAL DE *EL ECO DEL ROED*

**TRAMPITA STILTON**
PILLÍN Y BURLÓN,
PRIMO DE GERONIMO

**BENJAMÍN STILTON**
SIMPÁTICO Y AFECTUOSO,
SOBRINO DE GERONIMO

Geronimo Stilton

# LA CARRERA MÁS LOCA DEL MUNDO

DESTINO

*Textos de* Geronimo Stilton
*Ilustraciones de* Larry Keys
*Diseño gráfico de* Merenguita Gingermouse

Título original: *Un assurdo weekend per Geronimo*


Destino Infantil & Juvenil
destinojoven@edestino.es
www.destinojoven.com
Editado por Editorial Planeta



Primera edición: septiembre de 2003
Decimoquinta impresión: abril de 2009
ISBN: 978-84-08-04911-1
Depósito legal: M. 14.755-2009
Fotocomposición: Víctor Igual, S. L.
Impresión y encuadernación: Brosmac, S. L.
Impreso en España - Printed in Spain

# UN TRANQUILO VIERNES POR LA TARDE

Lo recuerdo como si fuese ahora.

Todo empezó así, justo así...

Era un viernes por la tarde.
Un tranquilo viernes por la tarde.
A las **seis en punto** salí de la oficina donde trabajo.

Ah, por cierto, no me he presentado: me llamo Stilton, *Geronimo Stilton*..
Soy un ratón editor: dirijo *El Eco del Roedor*,

el periódico más importante de toda Ratonia.

¿Por dónde iba?

Ah, sí, decía que, como cada viernes por la tarde, salí de la oficina a las seis en punto.

Me dirigí tranquilo hacia casa, paseando por las apacibles calles de Ratonia, la Ciudad de los Ratones.

Me gusta el ambiente del viernes por la tarde: todo el mundo tiene ese aire relajado, CONTENTO, de quien ya casi saborea el AROMA DEL DESCANSO del fin de semana.

Además, aquel era un fin de semana aún más especial: el lunes era fiesta. Se celebraba el aniversario de la fundación de Ratonia.

Yo también, lo confieso, soñaba con llegar a casa, ponerme las zapatillas, encender la radio, picar pedacitos de queso leyendo un buen libro...

Suspiré...

Ah, sí, quizá también descolgaría el teléfono para aislarme mejor del mundo, para descansar más.

Lo necesitaba de verdad: estaba cansado.

Había sido una semana PESADA **AGOTADORA**

**Lunes:** mi asistente había amenazado con pasarse a la competencia, a *La Gaceta del Ratón*, si como mínimo no le doblaba el sueldo.

**Martes:** el barbero, por equivocación, me había rapado el pelaje al cero.

**Miércoles:** había tenido una indigestión por culpa de unos bombones de queso caducados (ocho cajas)... ¡Me habían sentado fatal!

**Jueves:** mi primo Trampita había roto su televisor y se había instalado en mi casa ocupando mi sillón preferido.

**Viernes:** ¡mejor ni hablar!

Pero ahora, ¡ahora sí que iba a poder descansar!

# De locos, una verdadera locura

Mientras paseaba perezoso, pasé por delante de una nueva tienda de televisores que acababan de abrir en la plaza Provoleta. En el escaparate de la tienda me llamó la atención un aparato en particular. Estaba emitiendo un programa de gran éxito en Ratonia; se titulaba:

LOCOS RATONES REQUETELOCOS.

Durante la emisión, mostraban a ratones practicando los deportes más peligrosos que se pueda imaginar.
Me quedé a mirar unos minutos, meneando la cabeza con incredulidad.
Eso es de LOCOS, una verdadera LOCURA.

## ¡INCREÍBLE!

¿¿¿Cómo se podía disfrutar practicando deportes tan peligrosos???

Por la pantalla se vieron imágenes de ratones

que se lanzaban al vacío colgados de un paracaídas, que descendían rápidos de ríos en canoas minúsculas, que participaban en absurdas carreras de **VELOCIDAD SOBRE PATINES EN LÍNEA**.

Pero, digo yo, ¿cómo se puede arriesgar la vida por unos minutos de fama?

El **SOL** del atardecer irradiaba su luz dorada sobre los tejados de las casas, iluminaba los monumentos, se retiraba resignado en el horizonte, dejando espacio a la oscuridad. Me encanta ese momento, cuando la ciudad se calma, enciende una a una sus luces y todo se detiene. Ese mágico instante me sugería profundas meditaciones filosóficas, e inmerso en mis pensamientos reflexionaba sobre el sentido de la vida cuando de repente...

–¡PaSOOOOO! –chilló una vocecita aguda perforándome el oído.

Aún no había tenido tiempo de apartarme cuando un PATÍN me pasó por encima

*Un patín me pasó por encima de la oreja...*

de la oreja dejándome la marca de las ruedas.

–¡Eh, tú! ¿Tienes los ojos forrados de queso o qué? –añadió a voz en grito.

Entonces lanzó un chillido de sorpresa.

–¡Jefe! ¿Eres tú? ¿Qué haces aquí?

Abrí la boca para hablar cuando oí otra vocecita que chillaba:

–¡PISTAAAAA!

Fui arrollado de nuevo.

Otro PATÍN me pasó por encima de la oreja, esta vez la izquierda.

Abrí los ojos: vi los morritos pícaros de Pinky, mi asistente (tiene catorce años), y de Merry (la asistente de mi asistente, que también tiene catorce años).

Pinky dirige un nuevo periódico para ratoncitos, SENSACIONAL, que tiene un éxito apabullante aquí en Ratonia.

¿Queréis saber por qué Pinky y Merry colaboran conmigo a pesar de que solo tienen catorce años?

Leed el libro *Mi nombre es Stilton, Geronimo Stilton* y lo entenderéis.

No os lo explico porque es una

# TARTA DE QUESO

–¿Qué, jefe, cómo va? Sabes, ¡estamos probando los PATINES cohete! –me anunció Pinky señalando sus patines del número 43–. Te acuerdas, ¿verdad? ¡Los patines de la empresa

CUANDOTECAESDAÑOTEHACES

el patrocinador de nuestro nuevo periódico!

–¿Patines? ¿PATINES EN LÍNEA? ¡Qué locura! –exclamé meneando la cabeza–. No los usaría en la vida.

–¡Pero jefe, este sí que es un patrocinador! ¡Hace las cosas a lo grande! Ha soltado un montón de pasta para nuestro periódico para ratoncitos, SENSACIONAL. Ah, jefe, por cierto, recuérdame que **tengo que decirte algo...**

–¿El qué? –pregunté distraído.

–Nada, nada, ya te lo explicaré luego.

Entretanto, ya habíamos llegado delante de mi casa.

–Jefe, si tanto insistes, ¡entraremos a merendar! –dijo Pinky.

Suspiré:

–Vale, entrad, pues. Servíos, la **NEVERA** está por... –Pero Pinky y Merry estaban ya en la cocina.

–¡Oh, mira, hay una tarta de queso! ¡Y también bombones a la triple nata! ¡Y un pastel de gruyer! –exclamaban felices. Merry se preparó una hamburguesa con triple gorgonzola acompañada de patatas fritas con mayonesa.

–Jefe, cómo te cuidas, ¿eh?... –comentó Pinky, y luego, volviéndose a Merry–: ¡Te había dicho que valía la pena merendar aquí!

–añadió. Y, de nuevo a mí–: Ah, **tengo que decirte aquello**, pero... luego te lo explico...

Sonó el teléfono.

Respondí desde la cocina, para tener controladas a Pinky y Merry, las dos patinadoras locas.

–¿Oiga? ¿El señor Stilton? Buenos días, le llamo del gabinete de prensa de la empresa

CUANDOTECAESDAÑOTEHACES.

Pinky y su asistente Merry se han puesto en contacto con nosotros y nos han dicho que colaboran con usted...

–Eh, sí, desgraciadamente, es una **larga** historia... –suspiré.

–Como le decía, nos han asegurado que usted es el ratón ideal para probar nuestro nuevo modelo de patines. *Señor Stilton*, quería preguntarle, pues, qué le parecen. ¿Le gustan? ¿Los ha probado?

Por un instante no supe qué responderle.

Luego...

De repente me acordé de que el día anterior

me habían enviado unos PATINES-COHETE. Estaban encima de mi escritorio con una nota que no tuve tiempo de leer.

–Ejem, en realidad aún no he encontrado el momento, pero lo haré lo antes posible. No dudo de que son inmejorables.

–¡Vaya BROMISTA es usted! ¡Claro que los ha probado, si sale de viaje mañana mismo! ¿Cómo iba a ser, si no?

# ¡TENÍA ALGO QUE DECIRTE!

Yo creí que lo había entendido mal.
–Disculpe, ¿cómo dice? ¿Mañana? ¿Quién tiene que salir mañana?
El tipo, menudo ratón, se rió al otro lado del hilo.
–¡Ja, jaa, qué gracioso es usted, *señor Stilton!* Ahora incluso finge no recordar que mañana usted participa en la más **grande**, la más DISPARATADA, la más loca carrera de patines. ¡Deje las falsas modestias!
Yo seguía sin entender nada, pero entonces, de súbito, tuve una horrible sospecha.
Me di cuenta de que Pinky se escabullía lentamente hacia la puerta.

*Me di cuenta de que Pinky se escabullía lentamente hacia la puerta...*

–... ha sido su asistente, la señorita Pinky, la que lo ha organizado todo. Sepa que ha sido ella, solo ella, quien ha tenido esta genial idea. Nos ha dicho que es usted un ratón excepcional. ATLÉTICO, MUSCULOSO...

–Ese tipo continuaba parloteando al teléfono.

Yo intenté protestar, sorprendido.

–¿ATLÉTICO, MUSCULOSO?... ¿Yo? Pero... ¿de verdad está hablando de mí?

–¡Pues claro! –contestó él con seguridad–. Usted es Stilton, ¿no es cierto?, Stilton, el editor.

–Bueno, sí...

–La señorita Pinky ha dicho que usted no le tiene miedo a nada...

Tengo algo que decirte...

Pinky me sacudió en el hocico una hoja en la que aparecía escrito: **«Tengo algo que decirte...»**.

Entretanto, el tipo continuaba:

–Entonces, salida a las ocho, delante de la sede de nuestra empresa

**CUANDOTECAESDAÑOTEHACES**

Usted traiga solo los patines-cohete, todo el resto lo proporcionamos nosotros: el **MONO AERODINÁMICO** de neopreno, el **CASCO** de alta protección, la mochila ultraligera y ultraequipada.

Yo carraspeé:

–Son ustedes muy amables por invitarme a participar en esta competición, pero sepa que *yo dirijo un periódico*. La verdad es que no tengo tiempo.

–La señorita Pinky ya lo tiene todo previsto –repuso él–. ¡La dirección de la editorial recaerá sobre Tea Stilton, su hermana! Al parecer, todos están convencidos de que el periódico seguirá adelante perfectamente *incluso sin usted...*

# ¡AHORA TE LO EXPLICO!

Colgué el auricular del teléfono como en sueños y me volví hacia Pinky.

–Ejem, jefe, **tengo algo que decirte...**

–¿Ah, sí? ¿El qué? –murmuré con aire de sospecha.

–Estoy segura de que te hará muy FELIZ, EXTRAFELIZ. Te he inscrito en la competición de patines de ruedas, sales mañana por la mañana. Piensa en la publicidad: **¡el editor Geronimo Stilton participa en la carrera más loca del año!**

–¿Eso quiere decir que solo los LOCOS participan? –pregunté escéptico–. Ni hablar del tema. Olvídalo.

–Jefe, no te lo tomes así..., es decir..., *no puedes*

tomártelo así. De hecho, estás obligado a participar –murmuró ella sin concretar.

–¿Ah, sí? ¿**Y quién me obliga**? –le rebatí yo en tono de desafío.

–Entiéndelo, ya he invitado a todos los periodistas a asistir a la salida. He dicho que, si ganas la carrera, el premio será cedido a la asociación ***Ratoncitos Huérfanos***. Si no participas quedarás como un verdadero egoísta.

–¡Ni una palabra más! ¡Me niego a hacer el ridículo! ¡Apuesto a que en la carrera solo participan ratones chalados! ¡No soportaría vestir un

de neopreno!

A las ocho de la mañana siguiente me encontraba frente a la empresa de patines

CUANDOTECAESDAÑOTEHACES

235

en la parrilla de salida de competición. En la carrera participaban doscientos treinta y cinco patinadores.

El único que tenía más de quince años era yo. Embutido en el tremendo mono verde fluorescente, con el casco protector también verde fluorescente bien calado, y con todas las PROTECCIONES para las rodillas, los codos, la cola, etcétera, bien apretadas, me sentía tremendamente ridículo.

Los periodistas invitados por Pinky me acribillaron a fotografías cegándome con los flashes.

–¡Jefe, he invitado también a la televisión! ¡La RAT TV! ¡Así te verá todo el mundo en Ratonia! –anunció alegremente Pinky–. Ah, y ayer me telefonearon también los del programa LOCOS RATONES REQUETELOCOS. Se han enterado de que participas en la carrera y me han garantizado que, si vuelves, te dedicarán un programa especial: imagina, ¡un capítulo entero para ti! ¡*Serás famoso*!

No podía decir nada, pero le lancé una mirada que habría fulminado a un gato.

En primera fila, para animarme, estaban todos mis colaboradores: Tina, Merenguita, Ratina, Zapinia, Soja, Quesita, Larry, Ratonisa, Ratonila... gritando a coro:

–**¡STIL-TON! ¡STIL-TON! ¡AÚPA, STIL-TON!**

Y me gritaban que no me preocupase, que el

mono me quedaba bien, que tenía UN AIRE MUY TECNOLÓGICO.

Por el contario, Trampita, mi primo, el ratón más maleducado que conozco, se burló:

–Jua, jua, jua, no me reía así desde que fui al CIRCO... Dime, pero ¿cuánto te pagan por hacer el payaso de ese modo?

Puesto que me considero un ratón bien educado, me reprimí de saltarle encima para arrancarle el bigotc pelo a pelo.

# A CIEN POR HORA

Para evitar ser fotografiado, me metí en el lavabo.

Allí, melancólicamente, me pregunté **por qué**, **por qué**, **por qué** solo yo acababa mezclado en ese tipo de situaciones.

¿Qué errores había cometido?

Por si fuera poco, acababa de descubrir (otro detalle que Pinky se había encargado de ocultarme) que la carrera se efectuaba por un recorrido de mil trescientos kilómetros.

**1300 km**

Repito, ¡mil trescientos kilómetros!

Los patines llevaban unos cohetes y funcionaban con baterías especiales de titanio que garantizaban una autonomía de varios días.

La velocidad máxima era de trescientos kilómetros por hora.

Tenían una aceleración delirante: en cuanto se encendía el motor salían zumbando a una velocidad estratosférica, alcanzando los cien kilómetros por hora en tres segundos.

Tenía ganas de llorar.

Me sequé una lágrima con papel higiénico; luego hice acopio de fuerzas y salí del lavabo.

En la salida me asignaron el número **13**.

–¿Estás seguro de haber entendido bien cómo funcionan los patines, jefe? –preguntó Pinky solícita, lustrándome los PATINES.

–Ejem, sí, creo que lo he entendido. Para encender el motor presiono la tecla verde del mando a distancia, y para apagarlo, el rojo.

–¡Nooo, **jefe**! ¡Para encender, la tecla roja, y para apagar la verde!

–Ah, vale. Claro, entonces... para acelerar está la palanca amarilla, el embrague corresponde a la tecla naranja, no, a la tecla violeta, es decir, a esa azul... ¡No lo conseguiré nunca, quitadme los patines! –exclamé desesperado.

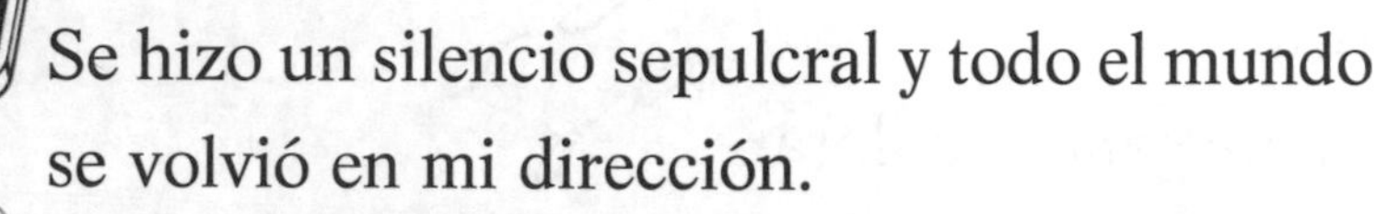

Se hizo un silencio sepulcral y todo el mundo se volvió en mi dirección.

Los periodistas, chismosos como nunca, corrieron hacia mí.

–¡Una declaración, *señor Stilton!* ¿Acaso renuncia? ¿Tiene un ataque de nervios?

En ese instante un altavoz anunció:

–¿Preparados **para la salida?**

En medio del griterío todos los ratones se precipitaron a la línea de salida.

–Tres, dos, uno. ¿Listos? ¡Ya!

En medio de la confusión, no supe qué tecla apretar para arrancar.

Me volví hacia Pinky para pedirle ayuda. Ella sacudió su sombrerito.

Ah, ya, ¡LA TECLA ROJA!

En cuanto presioné la tecla, los patines parecieron cobrar vida.

Me daba la impresión de tener alas en los pies.

SOCORROOOOOOO!

¡SOCORROOOOOOO!

# PRIMERA ETAPA: PUERTORRATÓN

La primera etapa era la ciudad de Puertorratón.

Los participantes debían atravesar la ciudad de Ratonia, coger la autopista, y después de dos horas y media llegaban a Puertorratón, un puerto en la costa occidental. Allí se registraba el paso y se retomaba el viaje.

Con el mando a distancia de los patines en una mano y en la otra el mapa que habían proporcionado a todos los participantes, SALÍ ZUMBANDO por las calles de Ratonia. La policía había bloqueado la circulación en toda la ciudad para permitir a los participantes recorrer las calles, plazas y callejones a una velocidad de locura.

–¡Vamos! ¡Venga! **¡MÁS RÁPIDO!** –gritaba el público.

Yo intentaba correr lo más despacio que podía, pero descubrí con espanto que los patines tenían una velocidad mínima de cien kilómetros por hora.

Al cabo de un rato me perdí, sin tener la más mínima idea de adónde debía ir, pero cuando intenté desconectar los patines para pedir

información me di cuenta de que estaban bloqueados. Presioné la tecla para apagarlos, pero solo obtuve un resultado: aceleré a doscientos por hora.

200 km/h

¡Pasooooooooo!

–exclamé desesperado.

Me metí a toda velocidad por un callejón que daba a la plaza del Pelaje Rizado, y cuando me encontré frente al mercado al aire libre pensé que aquello era el fin.

A doscientos por hora me colé entre un puesto y otro, haciendo un increíble eslalon y ocasionando todo tipo de daños.

Iba a una velocidad demasiado alta para

entender lo que me decían los vendedores, pero por sus expresiones pude entender que se trataba de insultos graves.

–¡Si te pillo...!

–¡Especie de...!

Eran las palabras que captaba por aquí y por allí.

Pero ya se sabe, a doscientos por hora no es que se entienda demasiado bien.

haciendo un increíble eslalon y ocasionando todo tipo de daños.

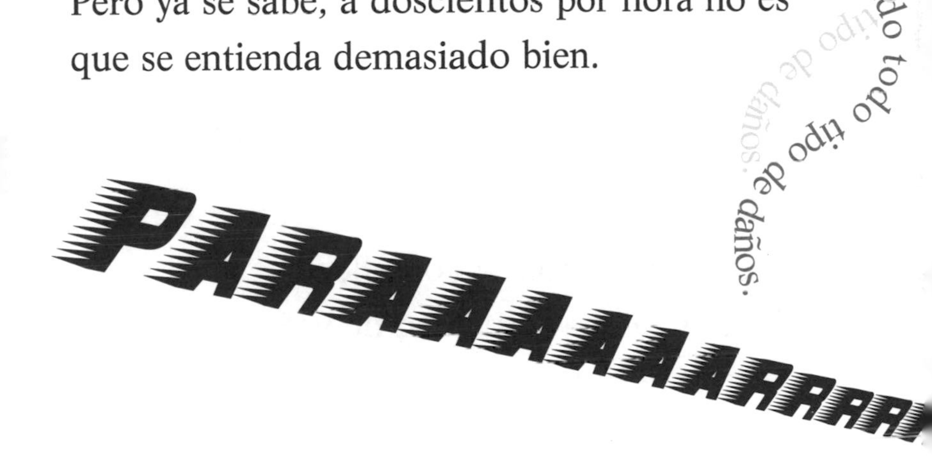

# SIEMPRE HAY UN ATAJO

No entiendo cómo pude sobrevivir a la travesía del mercado, aunque lo importante es que aún estaba vivo.

Y los patines seguían funcionando.

Para mi desgracia.

¡No se habían detenido ni siquiera un solo segundo! ¡Caramba con ellos!

Siempre a una velocidad de vértigo, me condujeron a lo largo de la avenida que desembocaba en el puerto.

Allí me encaminé por una pasarela de madera que llevaba a una enorme barcaza lista para zarpar.

Era tanta la velocidad, que

CUANDO LLEGUÉ AL FINAL DE LA PASARELA DESPEGUÉ...

di dos o tres cabriolas en el aire (provocando los aplausos de los presentes, que creyeron que me estaba exhibiendo en un triple salto mortal).

Creía que acabaría en el agua, pero en cambio caí de cabeza en medio de un montón de flotadores.



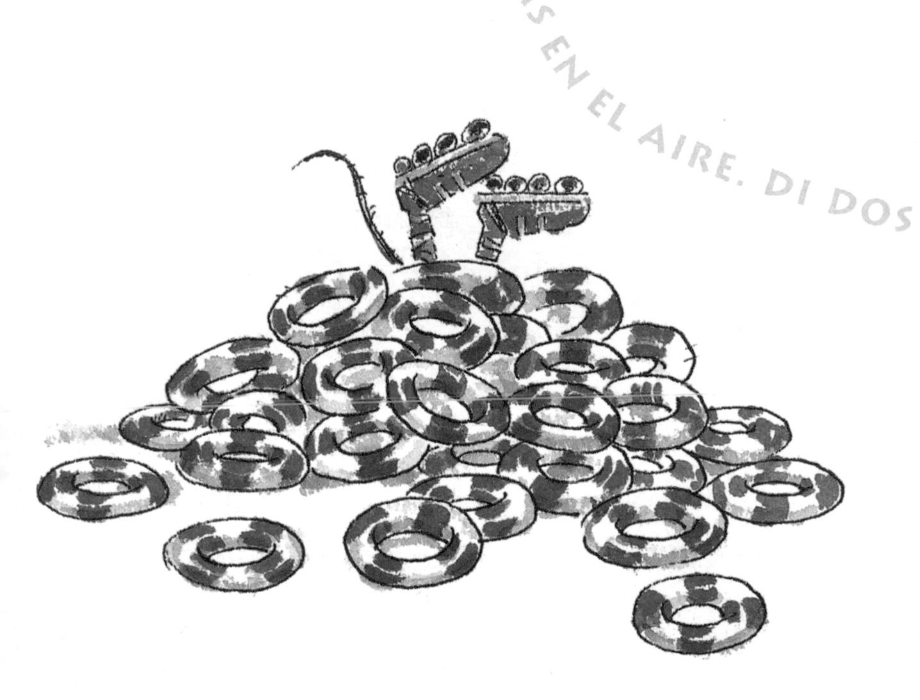

# ¡HAS LLEGADO EL PRIMERO!

Finalmente, conseguí desconectar los patines y emergí de entre los flotadores.

Tropecé, resbalé desde lo alto del embarcadero y acabé sobre una lancha fueraborda que pasaba a muchísima velocidad.

El ruido del motor era tan ensordecedor que no conseguí que el piloto me hiciera caso; además, el viento se llevaba lejos mis palabras.

–¡Eeeeeeooooo! –exclamé a pleno pulmón; pero fue inútil.

–¡Eeeeeeooooo! –grité agitando las patas para intentar atraer su atención.

La lancha rebotaba contra las olas con absoluta temeridad: no me atrevía a acercarme al piloto para no caerme al mar.

Y por si eso fuera poco, yo me mareo con facilidad, y no os digo cuántas veces me arrepentí de estar participando en aquella carrera de locos.

Pasó una hora y por fin avistamos un puerto.

La lancha prosiguió a alta velocidad hasta el muelle y luego se detuvo.

–¿Dónde estamos? –pregunté al piloto.

Estaba completamente agotado a causa del mareo.

–¡Estamos en Puertorratón! –me respondió estupefacto–. Pero tú ¿de dónde sales?

Pasé por el puente trastabillando, la cabeza me daba vueltas y las patas me temblaban.

¡Ah, qué alivio la tierra firme!

Pero, ay de mí, me había olvidado de los patines-cohete... Por equivocación, presioné

la TECLA ROJA, la de la puesta en marcha, y los PATINES arrancaron de nuevo. Conseguí enfilarme por la estrecha callejuela que conducía directamente desde el puerto al centro de Puertorratón.
De repente, me encontré frente a un estrado adornado de fiesta, con flores, penachos y lazos.

¡No conseguía detenerme!

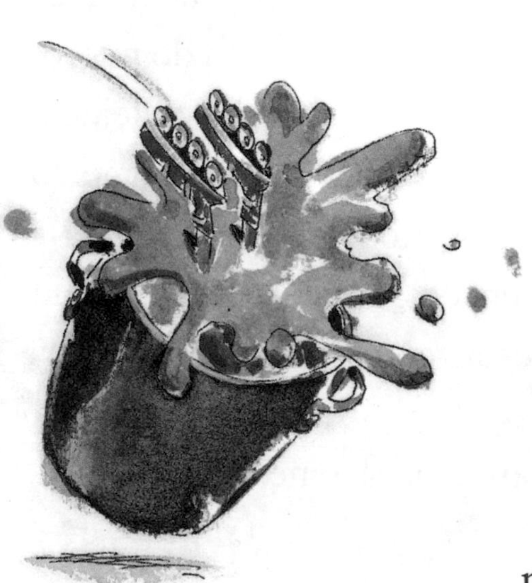

–¡Socorroooo! –exclamé mientras me llevaba por delante los adornos y las pancartas. Los patines me llevaron a la parte donde habían montado la cocina para la fiesta, y acabé de cabeza dentro de una enorme marmita llena de queso fundido, en el que los invitados deberían haber untado sus tostadas.

# ¡PERO SI ES ÉL, STILTON!

Por fin vinieron a sacarme de la marmita de queso fundido.

–Pero ¿quién es? ¿Quién será? –se preguntaban todos.

Cuando me hube limpiado el **queso fundido** que tenía en el hocico, un periodista me reconoció.

–¡Pero si es Stilton! *¡Geronimo Stilton!*

–¡Es verdad! ¡Es Stilton, el editor!

–¡Qué **JUGADA TAN ORIGINAL**, para llamar la atención! ¡Qué genio del marketing!

Los periodistas empezaron a sacar fotos a ráfagas. Yo intenté protestar, intenté decir que por nada del mundo quería ser fotografiado en aquellas condiciones.

Pero tenía la boca llena de queso fundido y no conseguí hacerme entender.

–¡Mañana ocuparás la primera plana **de todos los periódicos de Ratonia**! –exclamó Pinky, eufórica–. ¿Estás contento, jefe?

Intenté atraparla, pero se me escurrió entre las patas: ¡el queso fundido es **RESBALOSO!**

# ¡STIL-TON! ¡STIL-TON!

–¡*Señor Stilton*, por aquí, diríjase al estrado! –me dijo un tipo con esmoquin.

–Pero ¿qué estrado?

–¡Felicidades, señor Stilton, ha ganado la primera etapa de la carrera! ¡Ha llegado el primero!

–Ejem, gracias, pero ¿no podría ducharme? Por favor. Sabe, el queso fundido...

–¡Pero no, está mucho mejor así! ¿Sabe que el queso fundido ha sido una amable donación de la empresa LAFONDUE, que patrocina la carrera? ¡Una jugada publicitaria excepcional, señor Stilton, ni siquiera a nosotros se nos hubiera ocurrido! Porque usted lo ha hecho adrede, ¿no es cierto? Je, je, jeee...

»Jeee, jeee, ¡qué ratón tan listillo!

Alguien me vertió por encima un chorro de agua **HELADA:**

–¡Listo, jefe, más rápido que una ducha! –Era Pinky.

Me entregaron el primer premio: una enorme copa de platino.

–**¡Stil-ton! ¡Stil-ton!** –aclamaba la muchedumbre.

Los periodistas me acribillaron a fotografías, y yo intenté esconderme detrás de la copa.

# ¡QUÉ PESADILLA!

Pasé una NOCHE TREMENDA de pesadillas sin fin. ¡Nada de soñar con gatos salvajes que me perseguían...! Ahora ya soñaba con patines!

A las cinco de la madrugada oí llamar a la puerta. Metí la cabeza debajo de la almohada: ¡no tenía la más mínima intención de levantarme! Pero quienquiera que fuese, insistía. ¿Quién osaba interrumpir el sueño de un ATLETA?

Era Pinky.

–Hola, jefe, ¿qué tal? ¿Estás listo?

–Grrrr, para algunas cosas nunca se está listo –farfullé levantándome trabajosamente de la cama. Notaba los músculos de las patas ENTUMECIDOS

¿Cómo resistiría otra jornada sobre los patines?

Pinky me guiñó un ojo.

–¡Te he traído una taza de **CHOCOLATE** caliente!

¡Qué detalle tan *tierno*!

Se lo agradecí casi emocionado.

Me tomé el **CHOCOLATE** y mordisqueé el cruasán al queso que también me había traído Pinky. Entonces dijo ella, como sin querer:

–Ejem, sabes lo que te espera hoy, ¿no?

Yo respondí distraído:

–No, pero supongo que debemos recorrer todavía unos cuantos kilómetros por la autopista; y supongo que la policía la habrá cerrado para que sea posible la carrera. Pero no estoy preocupado: por la autopista se viaja CÓMODO, por suerte. ¡No como el día de ayer! –concluí satisfecho.

Ella se aclaró la garganta.

–Claro, viajarás comodísimo. Además, ¡seguro que el aire limpio que respirarás te sentará bien!

Yo me quedé perplejo.

–¿Aire limpio? Lo dudo mucho. Lo que res-

pirararé en la autopista será el humo de los automóviles.

Ella insistió:

–Ya verás..., un aire excepcional, puro, balsámico, un aire..., ¡de montaña!

Yo la miré receloso.

–¿Montaña? ¿Qué tiene que ver eso? ¿Vamos a hacer un picnic en la montaña? No lo entiendo...

Quería que me lo explicase mejor, pero ya se había escabullido exclamando:

–Hasta luego.

# USTED SABE LO QUE LE ESPERA, ¿NO?

Salí afuera. Me había retrasado porque en el último momento no encontraba las gafas, así que cuando llegué los demás participantes ya estaban listos en la línea de salida.

–¡*Señor Stilton*, rápido! ¡Prepárese, solo falta un minuto para la salida!

Yo buscaba afanosamente a Pinky.

–¿Dónde está Pinky? ¿Dónde está mi asistente? –exclamaba ansioso; pero parecía que ella se hubiese desvanecido, volatilizado en el vacío.

Uno de los organizadores me trajo un papel con un mapa donde se había señalado el recorrido.

–Su asistente ya se lo ha explicado todo, ¿no? Usted sabe lo que le espera, ¿no? ¿Se hace cargo? Pues **¡firme aquí!**

Y me plantó un papel bajo el hocico.

Querría haberlo leído antes de firmarlo, pero todos los participantes estaban ya listos para salir.

No había tiempo.

¿Qué iba a hacer?

**GRRRR, ¿POR QUÉ PINKY HABÍA DESAPARECIDO?**

Sospechaba que lo había hecho adrede.

Resignado, **firmé el papel**.

# ¿QUÉQUÉQUÉ?

–¡Listos, aquí tiene una copia! –dijo el tipo, y luego me empujó hacia la línea de salida.

–¡Vamos, dese prisa o empezarán sin usted!

Con afán, me puse sobre el mono de neopreno el dorsal que me correspondía y me calzé los patines.

–Tres, dos, uno... preparados... listos...

¡YAAAAAAAAAAA!

Salimos.

Abrí el sobre con el mapa que indicaba el recorrido que había que seguir.

Empecé a leer los nombres de algunos lugares: Monte Canguelo, Cumbre Puntiaguda, Colina de la Lumbre Apagada. Qué raro,

¿no iba a ser un recorrido por la autopista? Entonces le eché un ojo al papel que había firmado. Una pura formalidad, suponía. Quizás algún tipo de seguro. Pues bien:

*«Yo, el abajo firmante, asumo toda la responsabilidad en caso de sufrir un accidente, incluso mortal, durante el recorrido de hoy en la montaña...»*

¿Quéquéqué? No podía creerlo...

Me detuve para asimilarlo mejor...:

BARRANCOS..., PRECIPICIOS..., GRIETAS..., HIELO..., POSIBLE ERUPCIÓN DE UN VOLCÁN..., DESPRENDIMIENTOS..., CARRETERA EN MAL ESTADO..., ¡HASTA SENDERO EN MAL ESTADO! ¿Y POSIBLES INCURSIONES DE FELINOS SALVAJES?

# ¡PASO, PASOOO!

Ahora entendía por qué Pinky se había esfumado en el momento de la salida.

No se atrevía a decírmelo, ¿eh?

Ah, pero a mi vuelta se lo haría pagar, me oiría: **¡le diría lo que pensaba** de las carreras de patines, de los huerfanitos, del queso fundido, de los primeros premios, de las operaciones de marketing!

¿**Por qué**, **por qué**, me preguntaba, había tenido la desgraciada idea de cogerla como mi asistente?

Meditando acerca de lo injusta que era la vida para un ratón tan bueno como yo, puse los papeles en la mochila y volví a la carrera.

Debía recorrer una carretera estatal durante

diez kilómetros, después girar a la derecha y empezar a subir en dirección a la Cumbre Puntiaguda...

Me encontraba sobre un paso elevado.

Me distraje un momento para limpiarme los cristales de las gafas cuando oí un grito justo detrás de mí.

Alguien chocó contra mí.

Era uno de los participantes que había tomado carrerilla con el fin de afrontar mucho mejor el comienzo de la pendiente de montaña. Un ratoncito de más o menos diez años con **aire de ser todo un pícaro**, me empujó a un lado y se lanzó carretera arriba.

–¡Pero qué modales! –pude apenas gritar, antes de perder el equilibrio y precipitarme del paso elevado abajo. Hice un vuelo de veinte metros y aterricé en una bala de heno sobre un motocarro que pasaba renqueando por allí. ¡Estaba a salvo!

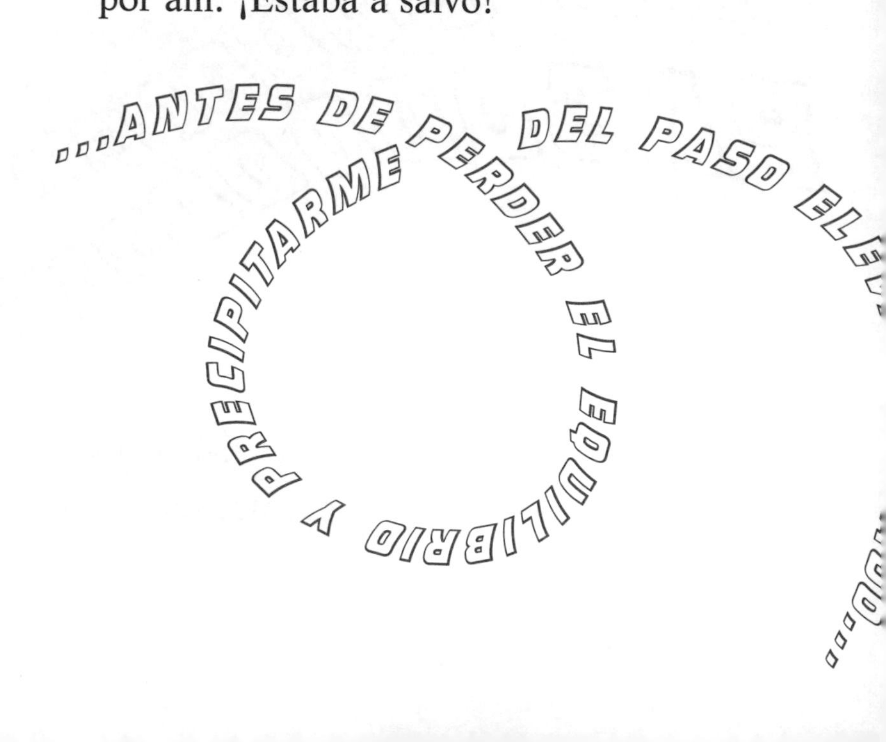

*Aterricé en una bala de heno...*

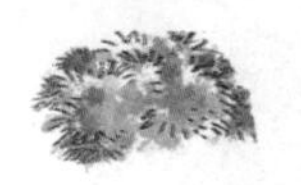

# ¡CON EL HORCÓN NO, POR FAVOR!

Intenté librarme de la bala de heno, pero estaba tan absolutamente CLAVADO que no conseguía salir.
Oía vagamente los ruidos del exterior, las voces, pero no sabía dónde me encontraba.

¡SOCORROOOOO! ¡SACADME DE AQUÍ

Intentaba gritar, pero tenía la boca llena de heno.
Nadie me oyó.
Me di cuenta de que la bala de heno estaba siendo levantaba y luego depositada en otro lugar.

Pasó un lapso que a mí me pareció interminable.

Horas y horas y horas.

No conseguía descubrir dónde me hallaba: notaba que la bala de heno estaba siendo transportada de algún modo, que se desplazaba, pero no entendía de qué modo.

Por fin, oí de nuevo las voces.

–¡**VAYA**!, pero ¿qué es esto?

–Mira, mira, mira. ¿Qué es eso que sale de la bala de **HENO**?

¿Son unas ruedas?

–¡Mejor que la bajes, que le vamos a echar un vistazo!

»Intenta PINCHARLA con el horcón para ver qué es.

–¡No, con el horcón no! –intenté decir, pero nadie me oyó por culpa de todo el heno que tenía metido en la boca.

Entonces, aterrorizado, agité desesperadamente las patas para llamar la atención. Por fin se percataron de mi presencia y me sacaron de allí. Miré a mi alrededor: estaba en un funicular, suspendido en el vacío...

Horrorizado, me tapé los ojos (ah, no os lo he dicho, tengo vértigo!) y pensé que no resistiría hasta la llegada. Estaba seguro.

# Segunda etapa: Monte Canguelo

Descendí del funicular tambaleándome.

En torno a mí vi a unos cuantos campesinos estupefactos que me miraban como si fuera una aparición.

–¿Dónde estoy? –pregunté con un hilillo de voz.

–¡Amigo, estás en la cumbre del Monte Canguelo!

Me daba vueltas la cabeza.

–La carrera..., la salida..., la llegada... –intenté explicarme, pero entonces se fijó en mí un tipo que llevaba una camiseta con la inscripción:

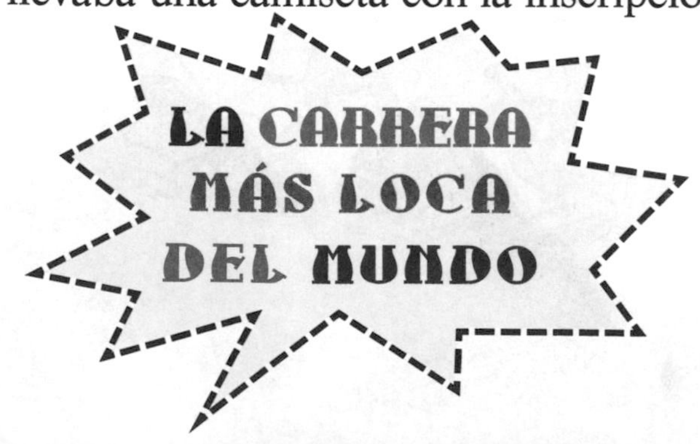

El ratón gritó con voz histérica:

–¡Aquí está, es él! ¡El primer participante!

Un grupo de animadores que lo seguía empezó a exclamar a coro:

–**¡Stil-ton! ¡Stil-ton!**

Algunos **ROQUEROS** descontrolados, también todos calzados con patines, me rodearon, me levantaron en el aire y me transportaron lejos de allí.

Yo intenté librarme y explicarles:

–No he llegado el primero, yo... el heno... el funicular...

¡SOCORROOOOOOOO!

Aquellos tipos, es decir, aquellos ratones, me llevaron en volandas hasta el estrado; luego, con un grito de júbilo, me lanzaron hacia arriba. Pero, ay de mí, no consiguieron atraparme al vuelo...

Caí de cabeza en un enorme florero.

Braceé en el agua del florero y emergí con un narciso en una oreja y un letrero en la boca que decía:

*Emergí con un letrero en la boca...*

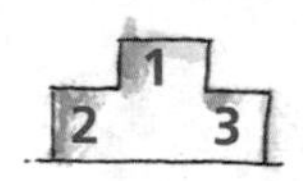

# ¡Es usted un genio, Stilton!

Me llevaron al estrado para la ceremonia del premio tal como estaba, con flores y todo.
–¡Es usted un genio, Stilton! –me susurró admirado el director de la carrera.
–A Ratflor, otro de nuestros patrocinadores, le encantará ver en las primeras planas de todos los periódicos la foto del vencedor, ¡adornado con las flores suministradas por la empresa!
Estaba desesperado.
¿Yo, un ratón SERIO, con clase, respetable con una cierta posición social (¡editor!) y un cierto nivel cultural (después de todo, soy licenciado), fotografiado vistiendo un MONO FLUORESCENTE, entre mon-

tones de flores, sobre un estrado, rodeado de ratoncitos histéricos?

Ya imaginaba la reacción de mis adversarios:

–¡Stilton se está hundiendo él solito!

Cuando empezaron a sacarme fotos intenté esconderme tras las flores, pero sabía que todo el mundo me reconocería sin esfuerzo.

# ¡Que hable! ¡Que hable!

Aquella noche, durante la cena, tuve incluso que soltar un discurso.
Estaba tan cansado que temía dormirme con el hocico en el plato.
Pero, a traición, Pinky empezó a decir:

¡QUE HABLE!

–**¡Que hable! ¡Que hable!** ¡El editor Stilton quiere decir un par de palabras sobre el profundo significado intelectual de los patines de ruedas en la historia de los ratones! ¡Silencio, escuchad todos! ¡Dirá cosas realmente interesantes!

Palidecí. Odio hablar en público, soy un ratón muy tímido.

En seguida me di cuenta de que haría un papelón.

¡Noté aterrorizado que se me estaba trabando la lengua!

–**Glbbb, gncccc, grbbbb...** –balbuceé.

Pinky me arrancó de un zarpazo el micrófono de las PATAS.

–Queridos presentes, mi jefe, el *señor Stilton*, insiste, *insiste* en que yo os exprese mi parecer sobre los patines de ruedas. ¡Qué generosidad! Así que diré brevemente cuál es mi opinión. Pues bien, el patín, inventado hace tres mil años (más o menos), constituyó un instrumento de una utilidad inestimable ya para las antiguas poblaciones del norte, que lo utilizaban para descender con rapidez las empinadas pendientes de las montañas...

Soltó un *discurso muy bonito*.

¡A Pinky nunca le faltan las palabras!

Pero no pude escucharlo hasta el final. Me dormí, como me temía, con el hocico en el plato.

# ¡CLARO QUE ESTOY CANSADO!

Al final de la cena me arrastré cansinamente hasta la cama.
Caí dormido en cuanto apoyé las orejas en la almohada.
Pasé otra NOCHE AGITADA, poblada de pesadillas.
Soñé de todo: felinos salvajes que me perseguían armados con hachas que chorreaban **SANGRE DE RATÓN**.

*Soñé de todo: felinos salvajes que me perseguían...*

*monigotes de heno que me acosaban con sus horcones...*

monigotes de heno que me acosaban para atravesarme con sus horcones, manadas de ratoncitos histéricos que me manteaban por los aires gritando mientras me llevaban en triunfo...

A las cinco de la madrugada me desperté sobresaltado: alguien llamaba a la puerta.

Era Pinky.

–**Jefe**, felicidades. ¡Sigue así! Los huerfanitos cuentan contigo...

–¡Grrrr! ¡Creo que tengo derecho a una explicación! –balbucí.

–Claro, **jefe**, ¿es que alguna vez te he escondido algo? –preguntó Pinky con aire inocente.

–Entonces, ¿cómo es la etapa de hoy? –pregunté yo.

–Ah, **jefe**..., si supieras... Ante todo, imagino que debes de estar un poco cansado, ¿eh? –preguntó con expresión comprensiva.

–Claro que estoy cansado. ¡¡¡Puedes jurarlo!!! –exclamé furibundo.

–Vamos, **jefe**, estarás cansado pero... a mí no me engañas. La subida no la has hecho tú, ¿eh, **jefe**?, has encontrado un buen burro de carga, ¿eh? –dijo dándome un codazo y guiñándome un ojo–. ¡A mí puedes contármelo, **jefe**!

Yo estallé:

–Pero qué burro ni qué burro. Estaba allí en la carretera, sí, en el paso elevado, entonces llega un participante por detrás, me empuja... yo... el funicular... el heno...

–Jefe, eres un tipo listo, ¡¡¡listísimo!!! –dijo ella admirada–. No sé muy bien cómo lo has hecho, pero lo importante no es participar, ¡sino ganar, a toda costa!

¡JEFE! ¡JEFE! ¡JEFE! ¡JEFE! ¡JEFE! ¡JEFE! ¡JEFE! ¡JEFE! ¡JEFE! ¡Jefe! ¡JEFE! ¡Jefe! ¡JEFE! ¡Jefe! ¡Jefe! ¡JEFE!

# ¡TODO BAJADA, JEFE!

Yo insistí:

–Entonces, dime: ¿en qué consiste la etapa de hoy? Es la última etapa, ¿verdad? Porque después, por suerte, ¡la carrera se termina!

Pinky revolvió dentro de su mochila y sacó su agendota, que estaba aún más **llena** de lo normal. Debéis saber que Pinky va siempre con su agenda,

llena de fotografías, papeles, notas, dibujos, apuntes, etcétera.

A veces tengo la impresión de que va a **ESTALLAR** de tan **abarrotada**.

Total, consultó con aire profesional su agenda y dijo:

–**Jefe**, he aquí una buena noticia: la etapa de hoy es fácil, facilísima. De broma, vaya.

¡Todo bajada, jefe!

# ¡No ME FÍO!

–¡Humm! –respondí receloso–. Explícate mejor..., ¡no me fío! ¿Qué quiere decir «todo bajada»?

–¡Ah, bueno! Verás, **jefe**: ahora estamos arriba, ¿no? ¡Pues entonces, solo se puede bajar! ¡Ya verás como no te vas a cansar nada! Cómodo, ¿no? Aunque tú, **jefe**, no te has cansado como los demás, que sí han subido: ¡tú has hecho que te traigan, je, je, jeee! Listillo... –exclamó soltándome un codazo en las costillas.

–¡No me des codazos! –grité–. ¡Y no digas que soy un listillo! ¡No tienes ni idea de lo que llegué a pasar ayer! El heno, el funicular...

En aquel momento se abrió la puerta y entró Merry a toda carrera.

–**¡Jefe!** ¿Qué haces? ¿Todavía no estás listo? ¡La salida es dentro de poco! No querrás llegar con retraso, ¿no?

Miré el reloj: era cierto, ay de mí, era justo la hora.

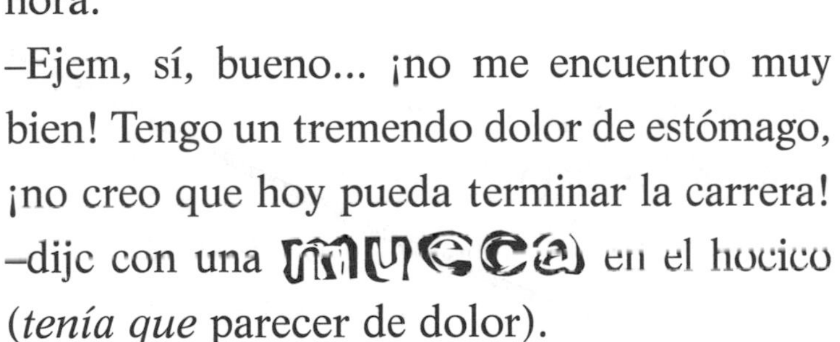

–Ejem, sí, bueno... ¡no me encuentro muy bien! Tengo un tremendo dolor de estómago, ¡no creo que hoy pueda terminar la carrera! –dijo con una **mueca** en el hocico (*tenía que* parecer de dolor).

Pinky contraatacó de inmediato:

–Pero ¿qué dices, jefe? ¡No querrás abandonar justo ahora! ¡Piensa en esos pobres ***huerfanitos***!

# CUANDO ESTALLAN LOS TERMÓMETROS

Merry y Pinky me empujaron fuera de la habitación.

–¿Por qué, por qué, por qué tengo que participar en esta absurda carrera? –exclamé desesperado.

De nuevo, los participantes estaban ya listos.

Pero esta vez no estaban en la línea de salida. Habían subido todos en una especie de funicular.

–¡Rápido, Stilton, rápido! –gritó el encargado.

Yo salté a bordo del funicular justo un instante antes de que se cerraran las puertas.

A través de la ventana vi a Pinky que asentía satisfecha. Merry tenía en cambio una expresión culpable.
¿Por qué?

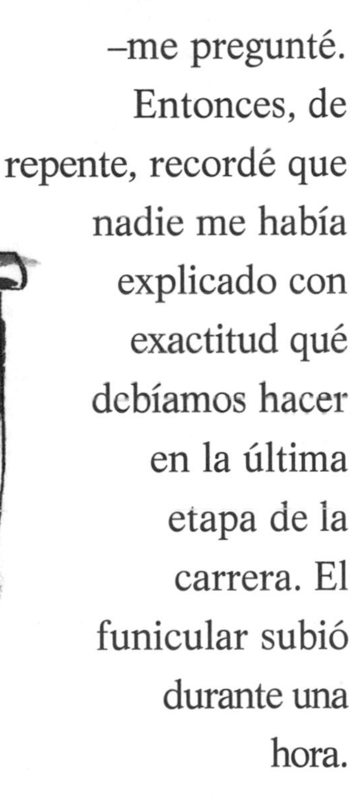

–me pregunté. Entonces, de repente, recordé que nadie me había explicado con exactitud qué debíamos hacer en la última etapa de la carrera. El funicular subió durante una hora.

Cuando llegamos a la cima, justo en la punta del Pico Felinoso, bajé tiritando. Hacía un FRÍO INCREÍBLE. Intenté consultar un termómetro para saber la temperatura, pero estaban todos rotos: el tubito de mercurio había ESTALLADO. ¡Mal asunto! Me asomé para mirar hacia abajo desde el

Pico Felinoso, y lo que vi no me gustó en absoluto.

Había un torrente que descendía abruptamente entre rocas PUNTIAGUDAS.

En buena parte del torrente las aguas se agitaban rabiosas, y al llegar al valle formaban una especie de cascada, helada aquí y allí, pero en cualquier caso escarpadísima.

¡Brrrrrrr! ¡Brrrrrrr!

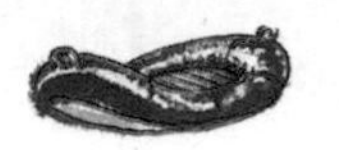

# ¿QUÉ DEBO HACER?

Uno de los organizadores se adelantó y mientras le castañeteaban los dientes de frío dijo:
–Queridos amigos roedores, queridos **inconscien...** ejem, queridos y valientes participantes, ¿estáis listos? Estáis emocionados, ¿verdad? Dentro de pocos minutos se desarrollará la última etapa... ¡toda en descenso, je, je, jeee!
Me fijé en que la organización estaba distribuyendo flotadores. Vaya, ¿quién sabe para qué podrían servir...?
Quizá fuera una nueva jugada publicitaria del enésimo patrocinador, que quería hacer propaganda de sus productos. De todos modos, yo también me lo puse. Era mejor ser prudente...

El tipo prosiguió:

–Os lanzaréis en orden de salida. ¡Adiós y buena suerte!

Todos los participantes se dispersaron, cada uno por su lado. Sentí que un escalofrío me subía por la cola. Tuve una premonición: como en una pesadilla, imaginé que me PRECIPITABA en el vacío, en una caída sin fin...

–¿¿¿Cómocómocómo??? –exclamé preocupado–. ¿Lanzarse? ¿Quién tiene que lanzarse?

¿¿QUÉ TENGO QUE HACER???

En aquel instante, alguien me puso en la mano un extraño trasto.

Parecía un bote en miniatura, o más bien un cruce entre un bote y un cubo para jugar en la playa.

De repente tuve una sospecha.

Luego oí un silbido y vi que el participante número uno se lanzaba al RÍO tras haberse metido en el minúsculo bote.

Por fin lo entendí todo: eso era lo que significaba «todo bajada»...

# EL TOBOGÁN DEL «HOCICO APLASTADO»

¡No tenía ni la más mínima intención de lanzarme al río!

¡Me parecía peligrosísimo!

¡No quería arriesgar la vida!

¡¡¡Y todo **POR CULPA DE UN PAR DE PATINES**!!!

Intentando pasar desapercibido, di media vuelta y me alejé de la línea de salida.

Había tal confusión que seguro que nadie notaría mi ausencia.

Quería encontrar un modo para regresar al valle, retirándome con *DIGNIDAD* y volviendo a casa sano y salvo.

Me fijé en que en la otra parte del pico había una extraña construcción de madera con una portezuela. En la portezuela había una tarjetita pegada con una frase que decía: «**TOBOGÁN DEL HOCICO APLASTADO**». Tuve otra premonición: como en una pesadilla, imaginé que me caía al vacío desde el pico

hasta el valle... Luego pensé que si me quedaba escondido en la caseta no me iba a suceder nada. Me froté las patas satisfecho. **¡Qué listo era!**

Esperaría a que todos los participantes se hubiesen lanzado al río, después explicaría a los organizadores que renunciaba y tomaría el funicular con calma, para descender del pico de un modo civilizado.

A nadie le importaría que hubiese perdido la última etapa de la carrera y, sinceramente, a mí tampoco.

Estaba meditando ya una buena excusa, convincente, para explicar por qué me retiraba, cuando me asaltó una duda.

¿Qué significaba «**HOCICO APLASTADO**»? ¿Y qué tenía que ver la palabra «**TOBOGÁN**»?

# Abajo, hasta el valle

Apenas tuve tiempo de abrir la portezuela de la caseta y de poner dentro una pata cuando mis preguntas obtuvieron una respuesta inmediata.

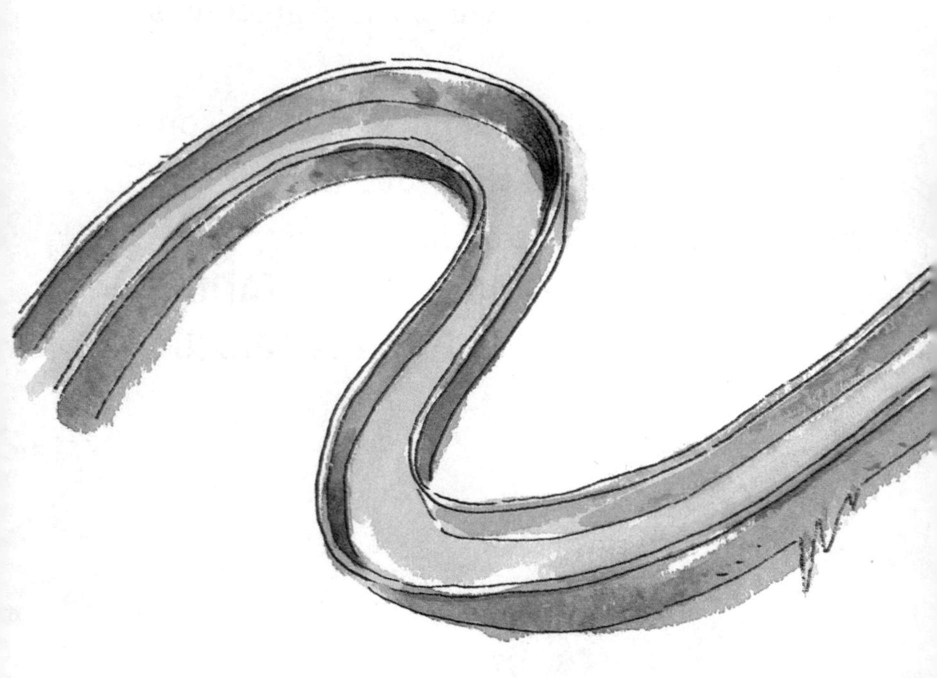

Apoyé la pata sobre una placa de hielo y tuve otra premonición o, más bien, para ser exactos, una certeza: era el comienzo del tobogán. ¡Por mil quesos de bola!

Un tobogán de hielo, ancho como el trasero

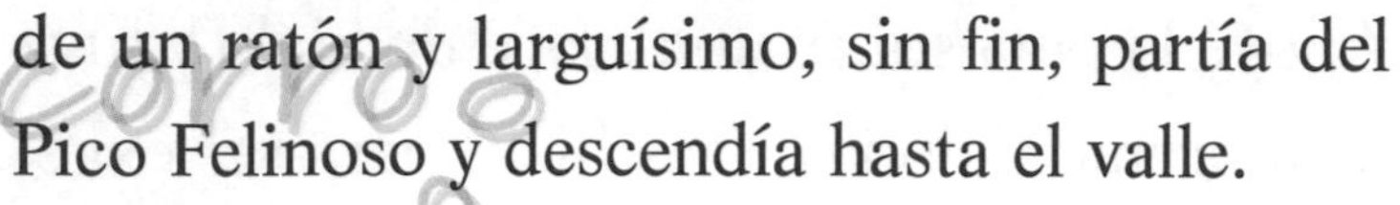

de un ratón y larguísimo, sin fin, partía del Pico Felinoso y descendía hasta el valle.

Intenté desesperadamente agarrarme a algo, a cualquier cosa, pero el hielo era tan resbaladizo que un segundo después de haber abierto la puerta ya estaba bajando por la pista.

La velocidad era una cosa de locos y parecía que no paraba de aumentar.

El tobogán era superestrecho y bajaba en zig-zag con curvas cerradas.

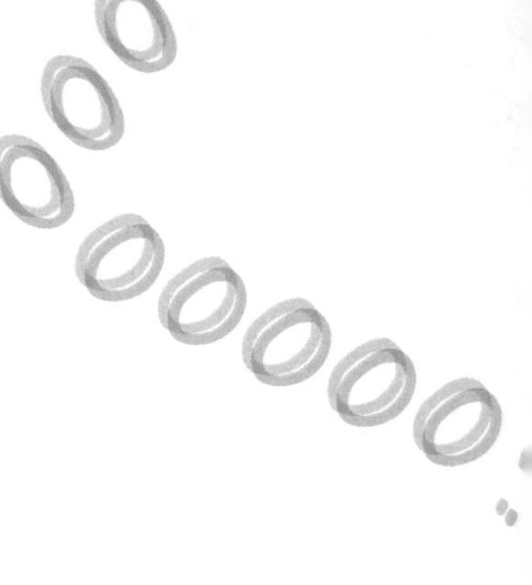

Gritaba, pero nadie podía oírme.

El sol estaba saliendo y bastó el primer rayo para hacer refulgir la superficie brillante, helada como un espejo.

–¡Aaaaaaaaaaaaaah! –gritaba cada vez que entraba en una curva.

Iba tan rápido que se me estaba consumiendo la cola.

Noté un olor a pelaje quemado... y recé para que el descenso acabara pronto.

# ¡NO QUIERO APLASTARME EL HOCICO!

Al poco me di cuenta de que las curvas se habían acabado.

El tobogán seguía largo, liso, recto, hasta el final... Pero... ¿qué era eso que había al final?

Miré con más atención y... ¡no era posible! ¡Al fondo de la pista había un muro de hielo! Por eso se llamaba **TOBOGÁN DEL HOCICO APLASTADO.**

¡Porque los ratones temerarios que llegaban hasta allí se estampaban de hocicos en el muro! ¿Qué podía hacer?

–**¡NO QUIERO APLASTARME EL HOCICO!** –exclamé mientras el muro de hielo se acercaba a toda velocidad.

*...el muro de hielo se acercaba a toda velocidad.*

SE HABÍA DESPRENDIDO UNA MASA DE HIELO Y NIEVE QUE DESCENDÍA A UNA VELOCIDAD ATERRADORA, ¡INCLUSO MÁS RÁPIDO QUE

Vi mi propia imagen justo enfrente de mí, porque la superficie helada reflejaba como un espejo: ¡estaba aterrorizado, peor que si me persiguiera un gato!

Entonces, de repente, me fijé en que desde la cumbre de la montaña se había desprendido una masa de hielo y nieve que descendía a una velocidad aterradora, ¡incluso más rápido que yo!

Llegados a este punto ya no sabía qué iba a ser peor: aplastarme el hocico o ser embestido por una avalancha...

No tuve tiempo de decidir, porque la masa de hielo prosiguió su caída y me arrastró consigo.

Me encontré atrapado dentro de la bola y bocabajo.

*... la masa de hielo prosiguió su caída y me arrastró consigo.*

# ¡Por fin, un rayo de luz!

No tenía ni idea de dónde estaba.

Rodé, rodé y rodé... durante un tiempo que me pareció interminable.

Al final noté que el bloque de nieve, tras un último salto, se detenía con un «**plop**», como si hubiese quedado encajado dentro de algo.

–¡Socorro! ¡Sáquenme de aquí! –intenté gritar, pero tenía la boca llena de nieve.

De pronto oí que alguien escarbaba.

Y por fin se abrió paso entre la nieve un rayo de luz.

Vi un hocico ratonil: ¡era Pinky!

¡Nunca me había sentido tan contento de verla, palabra de roedor!

–**¡¡¡Jefe!!!!! ¡¡¡Jefe!!!!!** ¡Has llegado el primero! ¡Eres el mejor!

En ese momento me di cuenta de que el bloque de nieve se había encajado como un tapón dentro de la gigantesca copa que se encontraba en el estrado para la ceremonia del premio.

Evidentemente, al descender por el tobogán y acabar dentro de la avalancha había llegado a la meta antes que el resto de los participantes. Y nadie se había percatado de que también esta vez, y sin quererlo, había tomado un atajo.

Merry saltaba feliz. Pinky, dándose aires de importancia, estaba impartiendo instrucciones a los periodistas.

–Fotografíenlo así, eso; ahora, un bonito primer plano..., ah, fíjense, tiene los ojos como platos y las orejas llenas de nieve.

–¡Es un héroe de verdad! ¡Este sí que es un ratón valeroso!

–Pero si ni siquiera le ha **salpicado** el agua. ¿Cómo ha bajado los rápidos sin mojarse? –preguntó receloso un periodista deportivo que intentó acercarse para observarme mejor.

Pinky pareció reflexionar un instante, miró a su alrededor y luego siguió hablando, poniéndose delante de mí para ocultarme de la vista de los periodistas:

–En primer lugar, tengo que decir que Stilton no es un ratón como los demás.

**¡Es un ratón de primera categoría, excepcional!**

¡Por eso, mientras que los demás se mojan, él no, él no se moja!

Acto seguido, le hizo una seña de complicidad a Merry, quien agarró un florero y me inundó de agua desde las orejas hasta la punta de la cola.

Pinky se apartó para que pudiesen sacarme

fotos y anunció con aire triunfal al periodista suspicaz:

–¡Y además, nadie puede decir que no se ha mojado!

# POR SUERTE SE HA ACABADO

Sí, gané el primer premio. Sí, me convertí en un héroe nacional. Sí, todo el mundo me entrevistó y eso hizo que la tirada de mi periódico, *El Eco del Roedor*, se elevase hasta cifras estelares.

Sí, he de admitir que Pinky tuvo una buena idea.

Eso mismo estaba pensando aquel lunes por la tarde, volviendo a Ratonia y haciendo balance de aquel absurdo fin de semana.

El viernes por la tarde volvía a casa tranquilo. El sábado por la mañana, la **tremenda primera** etapa, Puertorratón. Después la **horrorosa segunda** etapa, el Monte Canguelo.

Y finalmente, la **increíble tercera** etapa.
Por suerte, había llegado a la meta.
Ahora todo había acabado.
Me sentía del todo MACHACADO.
Me había hecho daño en la oreja cuando aterricé sobre los flotadores el primer día, des-

pués me socarré los bigotes con el queso fundido cuando me caí en la marmita.
Me había chamuscado el trasero bajando por el tobogán de hielo y del frío había pillado un tremendo resfriado.
De vuelta en la oficina pasé la mañana apoltronado detrás de mi escritorio, sorbiendo leche caliente con miel y sonándome la nariz sin parar.
–Ah, menos mal que el fin de semana, este absurdo fin de semana, se ha acabado. Des-

¡Qué contento estoy de haber vuelto a la oficina!

cansaré trabajando –le dije a mi secretaria–. Pinky y los otros ratoncitos de la redacción de Sensacional entraron en mi despacho.
–Jefe, ¡eres el mejor! –exclamaron entusiasmados.
Yo estornudé.

–Jefe, ¿sabes que has estado excepcional, fantástico, grandioso? –dijo Merry.

Yo me sentía, halagado, lo admito.

–Bueno, no he hecho nada del otro jueves.

Mientras, Pinky trasteaba con su agendota como si buscase algo.

Merry continuaba:

–Di, jefe, tú que ya eres una leyenda, ¿cómo consigues ser tan valiente?

Yo balbucí, haciéndome el modesto:

–Bueno, creo que he nacido así... me sale de esa manera... soy así por naturaleza...

Vi con el rabillo del ojo que Pinky se dirigía hacia la puerta llevando entre las patas un papel.

¿QUÉ ESTABA TRAMANDO AHORA?

Mi asistente abrió la puerta de par en par. Entraron en avalancha una docena de reporteros.

Pinky sacudió el papel y empezó a leer:

–¡Comunicado de prensa! El señor Stilton anuncia oficialmente que quiere intentar la travesía a nado del Gran Lago Helado. Por supuesto, para que la aventura sea aún más peligrosa, ¡lo intentará solo, sin ayuda alguna y en el período más frío del año! ¡Una hazaña excepcional! Baste decir que en el Gran Lago Helado se alcanzan temperaturas de ¡hasta cincuenta grados bajo cero! La aventura está patrocinada por la firma de trajes de baño **POLAR:** ¡trajes de baño forrados de piel de gato sintética! ¡Lo mejor para estar caliente incluso en el agua!

Acto seguido se acercó a mí y me dijo:

–¿Contento, jefe? ¡Ya verás qué exitazo! Por

cierto, jefe, ¿sabes nadar? ¿Eh, jefe? ¿Sabes nadar? Cuidado que salimos mañana...

Había sido un fin de semana tremendo.

Me esperaba un futuro aún peor.

Querría contároslo pero me faltan páginas: he llegado al final del libro.

De todos modos, os lo garantizo, es una **larga, larga** historia...

¡Tan larga que pienso escribir otro libro!

*Es una larga, larga historia...*

*tan larga ¡que pienso escribir otro libro!*

# ÍNDICE

¡Llegan las aventuras de Geronimo Stilton en cómic!
Queridos amigos roedores:
¡Os presento una nueva colección morrocotuda de cómics!
En ella os contaré mis aventuras superratónicas a través
del tiempo y viajaremos a épocas fascinantes de la historia.
¡Por mil quesos de bola! ¿Os lo vais a perder?
Geronimo Stilton
Geronimo Stilton
7
El descubrimiento de América
Planeta Junior
Planeta Junior

# TEA STILTON

❑ 1. El código del dragón

❑ 2. La montaña parlante

❑ 3. La ciudad secreta

**El Eco del Roedor**

1. Entrada
2. Imprenta (aquí se imprimen los libros y los periódicos)
3. Administración
4. Redacción (aquí trabajan redactores, diseñadores gráficos, ilustradores)
5. Despacho de Geronimo Stilton
6. Helipuerto

1
2
3
4
5
6
7
8
9
10
11
12
13
14
15
16
17
18
19
20
21
22
23
24
25
26
27
28
29
30
31
32
33
34
35
36
37
38
39
40
41
42
43
Río Ratonio
Playa

# Ratonia, la Ciudad de los Ratones

1. Zona industrial de Ratonia
2. Fábricas de queso
3. Aeropuerto
4. Radio y televisión
5. Mercado del Queso
6. Mercado del Pescado
7. Ayuntamiento
8. Castillo de Morrofinolis
9. Las siete colinas de Ratonia
10. Estación de Ferrocarril
11. Centro comercial
12. Cine
13. Gimnasio
14. Sala de conciertos
15. Plaza de la Piedra Cantarina
16. Teatro Fetuchini
17. Gran Hotel
18. Hospital
19. Jardín Botánico
20. Bazar de la Pulga Coja
21. Aparcamiento
22. Museo de Arte Moderno
23. Universidad y Biblioteca
24. «La Gaceta del Ratón»
25. «El Eco del Roedor»
26. Casa de Trampita
27. Barrio de la Moda
28. Restaurante El Queso de Oro
29. Centro de Protección del Mar y del Medio Ambiente
30. Capitanía
31. Estadio
32. Campo de golf
33. Piscina
34. Canchas de tenis
35. Parque de atracciones
36. Casa de Geronimo
37. Barrio de los anticuarios
38. Librería
39. Astilleros
40. Casa de Tea
41. Puerto
42. Faro
43. Estatua de la Libertad

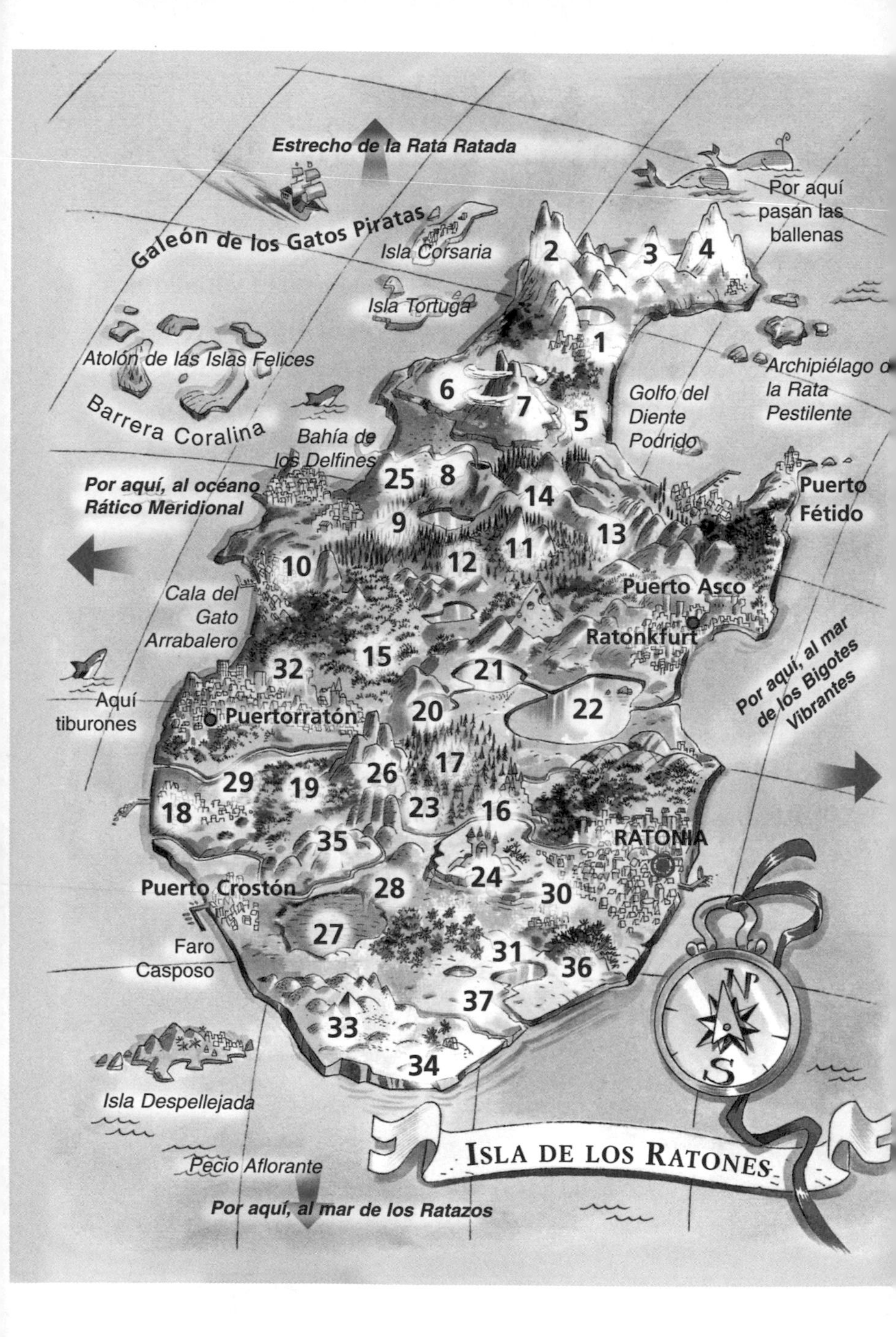

Estrecho de la Rata Ratada
Galeón de los Gatos Piratas
Isla Corsaria
Isla Tortuga
Atolón de las Islas Felices
Barrera Coralina
Bahía de los Delfines
Por aquí, al océano Rático Meridional
Cala del Gato Arrabalero
Aquí tiburones
Puertorratón
Puerto Crostón
Faro Casposo
Isla Despellejada
Pecio Aflorante
Por aquí, al mar de los Ratazos
Por aquí pasan las ballenas
Golfo del Diente Podrido
Archipiélago de la Rata Pestilente
Puerto Fétido
Puerto Asco
Ratonkfurt
Por aquí, al mar de los Bigotes Vibrantes
RATONIA
1
2
3
4
5
6
7
8
9
10
11
12
13
14
15
16
17
18
19
20
21
22
23
24
25
26
27
28
29
30
31
32
33
34
35
36
37
N
S
ISLA DE LOS RATONES

# La Isla de los Ratones

1. Gran Lago Helado
2. Pico del Pelaje Helado
3. Pico Vayapedazodeglaciar
4. Pico Quetepelasdefrío
5. Ratikistán
6. Transratonia
7. Pico Vampiro
8. Volcán Ratífero
9. Lago Sulfuroso
10. Paso del Gatocansado
11. Pico Apestoso
12. Bosque Oscuro
13. Valle de los Vampiros Vanidosos
14. Pico Escalofrioso
15. Paso de la Línea de Sombra
16. Roca Tacaña
17. Parque Nacional para la Defensa de la Naturaleza
18. Las Ratoneras Marinas
19. Bosque de los Fósiles
20. Lago Lago
21. Lago Lagolago
22. Lago Lagolagolago
23. Roca Tapioca
24. Castillo Miaumiau
25. Valle de las Secuoyas Gigantes
26. Fuente Fundida
27. Ciénagas sulfurosas
28. Géiser
29. Valle de los Ratones
30. Valle de las Ratas
31. Pantano de los Mosquitos
32. Roca Cabrales
33. Desierto del Ráthara
34. Oasis del Camello Baboso
35. Cumbre Cumbrosa
36. Jungla Negra
37. Río Mosquito

Queridos amigos roedores,
hasta el próximo libro.
Otro libro morrocotudo,
palabra de Stilton, de...

Geronimo Stilton